*Opp**bull**sites*

# LOS OPUESTOROS

Sebastián G. Schvetzer

*Edición Bilingüe*

**Castellano** Inglés

*back*

DETRÁS

*front*

# DELANTE

*above*

ARRIBA

*below*

ABAJO

*left*

IZQUIERDA

*right*

# DERECHA

small

PEQUEÑO

big

GRANDE

# INMENSO
*huge*

# DiMINuTo

*tiny*

*short*

CORTO

long

LARGO

*light*

CLARO

dark

OSCURO

*whole*

ENTERO

*divided*

FRACCIONADO

*alone*

SOLO

*accompanied*

ACOMPAÑADO

*undressed*

DESABRIGADO

*dressed*

ABRIGADO

*earthly*

TERRESTRE

*alien*

EXTRATERRESTRE

natural

NATURAL

*artificial*

ARTiFiCiAL

*dirty*

SUCIO

*clean*

LiMPiO

separated

SEPARADO

united

UNiDO

*hairless*

PELADO

*hairy*

PELUDO

*rich*

RiCO

*poor*

POBRE

*diurnal*

DIURNO

*nocturnal*

NOCTURNO

*crumpled*

ARRUGADO

*smooth*

ALISADO

*modern*

MODERNO

*ancient*

ANTiGUO

*native*

NATIVO

*foreign*

EXTRANJERO

*bellicose*

BELICOSO

*pacifist*

PACiFiSTA

*daddy*

PAPÁ

*mommy*

MAMÁ

*happy*

ALEGRE

*sad*

TRISTE

# LOS OPUESTOROS

*Oppbullsites*

*Edición Bilingüe* Castellano-Inglés

. . .

Título original: *Los Opuestoros*

© 2005, del texto y las ilustraciones: Sebastián García Schnetzer
Traducción: Jonathan Bennett

© 2005, de esta edición:
Brosquil edicions - Valencia / www.brosquiledicions.es
albur producciones editoriales - Barcelona / www.albur-libros.com
La Panoplia Export - Madrid / www.panopliadelibros.com

Este libro es una realización de **albur** producciones editoriales s.l.

ISBN Brosquil: 84-9795-163-8
ISBN Albur: 84-96509-00-1

Printed in China
by South China Printing Co. Ltd.